Une plante grandit

Kristin Baird Rattini
Texte français de Marie-Josée Brière

Éditions
SCHOLASTIC

Pour maman, papa et Kim :

mes racines familiales – K.B.R.

**L'éditeur et l'auteure remercient l'horticulteur Gregg Henry Quinn
pour la relecture de cet ouvrage.**

Catalogage avant publication de Bibliothèque et Archives Canada

Rattini, Kristin Baird
[Seed to plant. Français]
    Une plante grandit / Kristin Baird Rattini ; texte français
de Marie-Josée Brière.

(National Geographic kids)
Traduction de: Seed to plant.
ISBN 978-1-4431-6878-6 (couverture souple)

    1. Croissance (Plantes)--Ouvrages pour la jeunesse.
2. Plantes--Développement--Ouvrages pour la jeunesse. I.
Titre. II. Titre: Seed to plant. Français. III. Collection: National
Geographic kids.

QK731.R2814 2018   j571.8'2   C2018-900391-X

Édition publiée par les Éditions Scholastic, 604, rue King Ouest,
Toronto (Ontario) M5V 1E1 avec la permission de National
Geographic Partners, LLC.

5 4 3 2 1   Imprimé au Canada 119   18 19 20 21 22

Conception graphique de YAY! Design

Références photographiques :
Page couverture (fleur), cobalt88/Shutterstock; (graines), Jiang
Hongyan/Shutterstock; 1, Chris Hill/Shutterstock; 2, Digital Vision;
4 (en haut), Laurie Campbell/naturepl.com; 4 (en bas), Le Do/
Shutterstock; 5 (en haut), Valentyn Volkov/Shutterstock; 5 (en
bas), homydesign/Shutterstock; 6, AgStock Images/Corbis; 7
(en haut), Visuals Unlimited/Getty Images; 7 (en bas), Joshua
Howard/National Geographic Creative; 8, Granger Wootz/
Blend Images/Corbis; 9, Givaga/Shutterstock; 10 (en haut),
Kim Taylor/naturepl.com; 10 (au centre), Kim Taylor/naturepl.
com; 10 (en bas), Catalin Petolea/Shutterstock; 11, AgStock
Images/Corbis; 12, MM Productions/Corbis; 13, Scott Stulberg/
Corbis; 14-15 (arrière-plan), oriontrail/Shutterstock; 14-15, Orla/
Shutterstock; 16 (en haut), Stephanie Pilick/dpa/Shutterstock; 16
(en bas, à gauche), Dieter Heinemann/Westend61/Corbis; 16-17
(arrière-plan), lobster20/Shutterstock; 17 (en haut, à gauche), Olaf
Simon/iStockphoto; 17 (au centre), Paolo Giocoso/Grand Tour/
Corbis; 17 (en bas), Palette7/Shutterstock; 18 (deux médaillons),
Jill Fromer/E+/Getty Images; 18-19, Comstock Images/Getty
Images; 20, Roel Dillen/iStockphoto/Getty Images; 21, Behzad
Ghaffarian/National Geographic My Shot; 22 (à gauche), Ingram;
22 (à droite), Gentl and Hyers/Botanica/Getty Images; 23 (à
gauche), Alex011973/Shutterstock; 23 (à droite), mark higgins/
Shutterstock; 24-25, Simon Bell/National Geographic My Shot;
24 (médaillon), Raymond Barlow/National Geographic My Shot;
25 (médaillon), Ints Vikmanis/Shutterstock; 26, Craig Lovell/
Corbis; 27, Zurijeta/Shutterstock; 28, Alivepix/Shutterstock; 29 (1),
HamsterMan/Shutterstock; 29 (2), Mark Thiessen, NGS; 29 (3),
Mark Thiessen, NGS; 29 (4), beyond fotomedia RF/Getty Images;
30 (à gauche), Sam Abell/National Geographic Creative; 30 (à
droite), Ingram; 31 (en haut, à gauche), Olaf Simon/iStockphoto;
31 (en haut, à droite), Dmitry Naumov/Shutterstock; 31 (en bas, à
gauche), Martin Ruegner/Digital Vision/Getty Images; 31 (en bas,
à droite), Alex011973/Shutterstock; 32 (en haut, à gauche), Kim
Taylor/naturepl.com; 32 (en bas, à gauche), Anna Dimo/National
Geographic My Shot; 32 (en haut, à droite), irin-k/Shutterstock;
32 (en bas, à droite), udra11/Shutterstock; encadré «À savoir»
(abeille), Angela Shvedova/Shutterstock; bordure en haut des
pages, Kostenyukova Nataliya/Shutterstock

Table des matières

Qu'est-ce qu'une plante?

Une plante, c'est une chose vivante. Elle reste toujours à la même place, mais elle grandit et elle change, comme toi.

nénuphar blanc

fougère

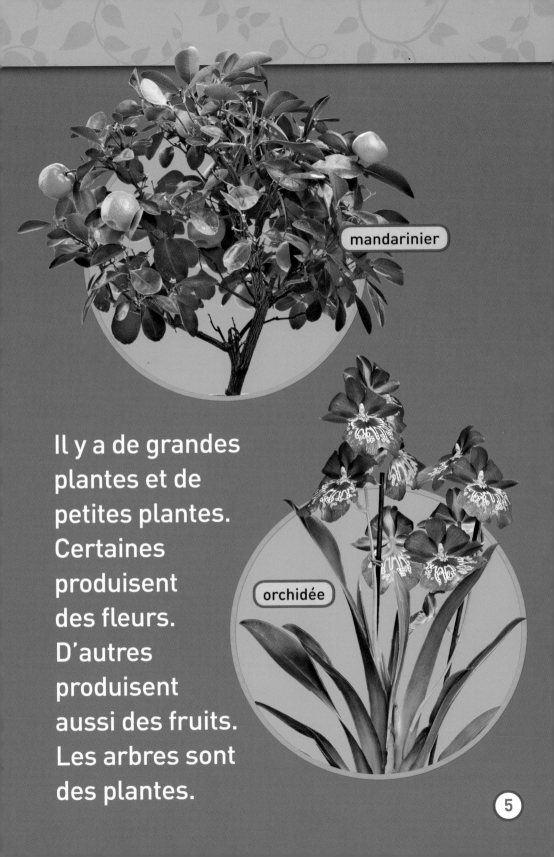

mandarinier

orchidée

Il y a de grandes
plantes et de
petites plantes.
Certaines
produisent
des fleurs.
D'autres
produisent
aussi des fruits.
Les arbres sont
des plantes.

Les plantes sont importantes.
Les agriculteurs font pousser des
fruits et des légumes. Ces plantes
permettent de nous nourrir.

Q Quelle est la ressemblance entre un arbre et un chien?

R L'un est en bois, et l'autre aboie.

un agriculteur dans son champ de coton

Certaines plantes sont utilisées pour fabriquer des vêtements. Ton tee-shirt est fait avec du coton.

D'autres plantes servent d'abris confortables à des animaux.

un ours dans un arbre

Les parties d'une plante

Tu peux comparer les parties de ton corps à celles d'une plante.

Tes bras sont comme des feuilles.

Ton torse ressemble à une tige.

Tes pieds sont comme des racines.

Les racines maintiennent la plante dans le sol. La tige aide la plante à se tenir droite. Les feuilles absorbent la lumière du soleil.

feuilles

tige

racines

La naissance d'une plante

1 Creusons! La plupart des plantes poussent à partir d'une graine.

2 La graine s'ouvre. Une petite pousse en sort. C'est ce qu'on appelle la « germination ».

3 Une nouvelle plante est née!

À savoir

GERMINATION : Naissance d'une plante à partir d'une graine.

SEMIS : Petite plante qui vient de germer.

Un semis commence à pousser.
Ses racines s'enfoncent dans le sol.
Sa tige s'élève dans les airs.

feuilles

tige

racines

La plante grandit

Les plantes du jardin poussent mieux si elles sont bien arrosées.

Comme toi, les plantes grandissent. Leurs racines s'étendent et s'enfoncent dans le sol. Leurs tiges deviennent plus grosses et plus fortes. De nouvelles feuilles poussent et des branches aussi.

À savoir

SOL : Substance à la surface de la Terre, dans laquelle les plantes poussent.

De quoi les plantes ont-elles besoin?

> **Pour pouvoir pousser, les plantes ont besoin de toutes ces choses :**
> - ✓ terre
> - ✓ eau
> - ✓ nourriture
> - ✓ lumière
> - ✓ air
> - ✓ espace

Les racines des plantes trouvent de l'eau et de la nourriture dans le sol.

Les feuilles captent l'air et la lumière du soleil. Les plantes en ont besoin pour se nourrir. Elles ont aussi besoin d'espace pour grandir.

air

lumière du soleil

terre

eau et nourriture

15

6 détails amusants sur les plantes

1

Une graine de palmier comme celle-ci peut peser autant qu'un enfant de quatrième année. Ce sont les graines les plus lourdes du monde.

2

C'est l'heure du bain! On utilise des plantes dans la fabrication de certains savons et shampoings.

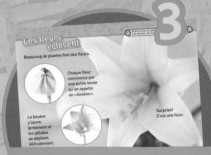

3

Les fleurs éclosent

Beaucoup de plantes font des fleurs.

Chaque fleur commence par une petite boule qu'on appelle un «bouton».

Le bouton s'ouvre lentement et les pétales se déplient délicatement.

Surprise! C'est une fleur.

Le papier de ce livre provient des arbres.

4

graines

Une seule fleur de tournesol peut produire jusqu'à 1000 graines!

5

Le bambou est la plante qui pousse le plus vite. Elle peut devenir aussi grande qu'un enfant de trois ans en une seule journée!

6

Le plus grand arbre vivant est plus haut que la statue de la Liberté qui se trouve à New York, aux États-Unis.

Les fleurs éclosent

Beaucoup de plantes font des fleurs.

Chaque fleur commence par une petite boule qu'on appelle un « bouton ».

Le bouton s'ouvre lentement et les pétales se déplient délicatement.

Q Grâce à moi une plante devient une planète. Qui suis-je?

R è (planète).

Surprise!
C'est une fleur.

Du pollen collant

Les fleurs produisent une poudre collante qu'on appelle du « pollen ».

Le pollen se colle sur les oiseaux, les abeilles et d'autres insectes quand ils volent d'une fleur à l'autre.

Le pollen se dépose ensuite sur d'autres fleurs. On appelle cela la «pollinisation». C'est ce qui aide les fleurs à produire des graines!

À savoir

POLLINISATION : Transport du pollen d'une fleur à l'autre. C'est ce qui permet aux plantes de se reproduire.

Les graines

Les graines se développent dans différentes parties de la plante selon son espèce.

Sur beaucoup de plantes, les graines sont enfermées dans des enveloppes. Les graines des pois se trouvent dans des cosses. Celles des érables se trouvent dans des samares.

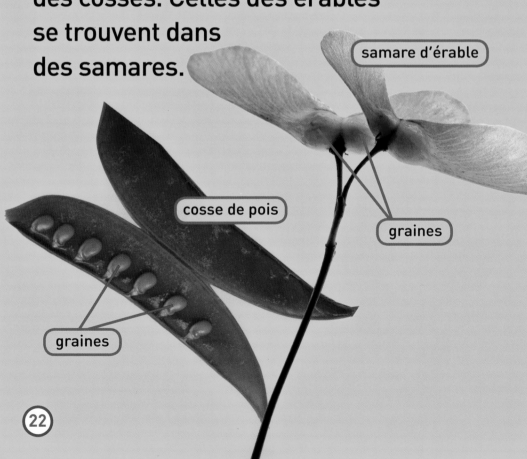

samare d'érable

cosse de pois

graines

graines

Q Que dit une fleur à une autre quand elle lui barre la route?

R Pousse-toi!

Les graines des oranges sont à l'intérieur du fruit.

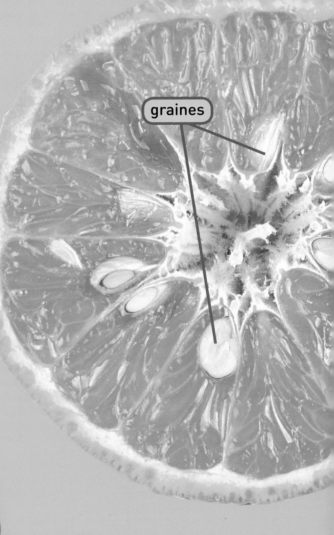

graines

graines

Mais les graines des fraises sont à l'extérieur.

Les graines voyagent.
Parfois, le vent
les fait flotter dans
les airs. D'autres
fois, elles sont
transportées par
des animaux.

Cet oiseau transporte
un fruit qui contient
une graine.

Les graines tombent
par terre. Puis,
elles se mettent
à pousser.
On dit qu'elles
germent. C'est
la naissance de
nouvelles plantes.

Cet écureuil tient une grosse graine.

Les graines de pissenlit sont éparpillées par le vent.

Des plantes, s'il vous plaît!

Les humains et les animaux mangent des plantes pour rester en bonne santé. Combien de plantes as-tu mangées aujourd'hui?

Ce panda mange du bambou.

Le melon d'eau est un fruit qui vient d'une plante.

Commencer un jardin

Tu peux faire pousser toi-même un plant de fèves. Demande à un adulte de t'aider.

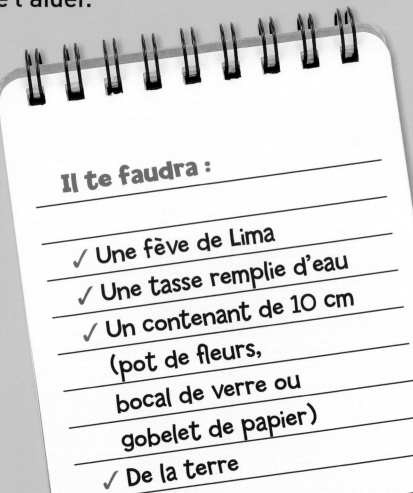

Il te faudra :

- ✓ Une fève de Lima
- ✓ Une tasse remplie d'eau
- ✓ Un contenant de 10 cm (pot de fleurs, bocal de verre ou gobelet de papier)
- ✓ De la terre

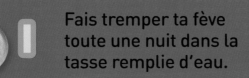

1 Fais tremper ta fève toute une nuit dans la tasse remplie d'eau.

2 Remplis le contenant avec de la terre. Enfonce la fève à 2 cm sous la terre.

3 Ajoute de l'eau pour mouiller la terre.

4 Place le pot dans un endroit chaud et ensoleillé. Ajoute un peu d'eau chaque fois que la terre devient sèche. Ta fève devrait germer en moins d'une semaine!

Qu'est-ce que c'est?

Ces images sont des gros plans de choses qui sont présentées dans ce livre. Sers-toi des indices placés sous chaque image pour deviner de quoi il s'agit. Tu trouveras les réponses à la page 31.

INDICE : En s'ouvrant, ceci deviendra une fleur.

INDICE : C'est par là que la plante capte l'air et la lumière du soleil.

BANQUE DE MOTS

feuille   pluie   abeille   bouton   fraise   tournesol

3

INDICE : Cette fleur peut produire jusqu'à 1 000 graines.

4

INDICE : Quand elle tombe, elle arrose les plantes.

5

INDICE : Cet insecte bourdonne en volant de fleur en fleur.

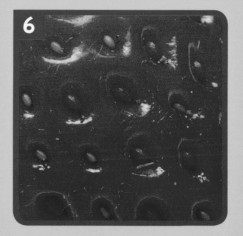

6

INDICE : Les graines de ce fruit sont à l'extérieur.

Réponses : 1. bouton, 2. feuille, 3. tournesol, 4. pluie, 5. abeille, 6. fraise

GERMINATION :
Naissance d'une plante
à partir d'une graine.

POLLINISATION :
Transport du pollen
d'une fleur à l'autre.
C'est ce qui permet
aux plantes de se
reproduire.

SEMIS : Petite plante
qui vient de germer.

SOL : Substance à la
surface de la Terre, dans
laquelle les plantes
poussent.